Para Clement, el hijo de las brumas, y Anaïs.
Para Ambre.

Traducción. P. Rozarena

Título original: *Sous l'oeil du Dragon*

© Réunion des musées nationaux, 2005
© De las fotografías: Réunion des musées nationaux
   y de los clichés: Thierry Ollivier
© De esta edición: Editorial Luis Vives, 2006
   Carretera de Madrid, Km. 315,700 · 50012 Zaragoza
   Teléfono: 913 344 883 · www.edelvives.es

ISBN: 84-263-6009-2

Tras la mirada del dragón

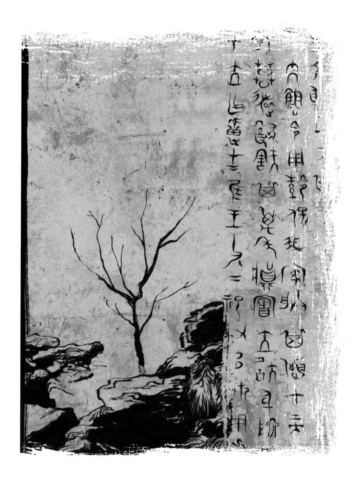

TEXTO **Alexia Sabatier**
ILUSTRACIONES **Xavier Besse**

EDELVIVES

Tiene cabeza de dromedario,
cuerpo de serpiente, escamas
de carpa, garras de halcón,
es un dragón: la cometa de Xiao Li.

La cometa juega con la brisa, ¡hop, arriba!,
¡puf, abajo!, vuelta a la derecha, giro a la izquierda...
Bailotea en una danza loca.
En este juego entre el viento insolente y el dragón rugiente,
¿quién de los dos ganará?
¡Un ventarrón se lleva la cometa volando por los aires!

Incluso sin alas, el dragón sube muy alto, como si fuese un pájaro.
El vapor que echa por la nariz se convierte en las nubes del cielo.

Da Li consuela a su hijo por la pérdida
de una cometa tan preciosa.

–No llores, Xiao Li.
Si tu dragón ha subido hasta el cielo,
es porque no es un simple juguete de seda,
sino un dragón celestial.

Un dragón que, según las leyendas, sólo aparece
entre los humanos cada tres mil años.

Xiao Li, que nunca ha oído esas leyendas, siente curiosidad, y le pide a su padre que se las cuente.

–Todo empezó en el País del Río Azul, donde reinaba un emperador muy poderoso.

» Tan poderoso que mandaba sobre un ejército de muchas decenas
de miles de soldados, coleccionaba miles de rollos de pinturas,
que eran su orgullo, y tenía un centenar de esposas
y concubinas, clasificadas según su belleza, que le habían dado,
por lo menos, sesenta hijos.

»El emperador había elegido
como emblema de su dinastía
al dragón, animal fuerte
y amenazador, y se creía
su descendiente en la tierra.

»Hasta tal punto, que cuando
uno de sus súbditos se atrevía
a disgustarlo, los ministros
se inquietaban y decían:
—Pero ¿cómo osa arañar
las escamas del dragón?

»El emperador había encargado a su mejor pintor
un dragón cuyo aliento fuera tan ardiente como el fuego,
cuya voz fuera tan atronadora como el trueno
y cuya mirada fuera tan deslumbrante como el oro.
Iba a colocarlo en el salón del trono para impresionar
a los emisarios de los reinos vecinos que fuesen a visitarlo.
Y se enfureció terriblemente cuando vio que el pintor
no le había pintado ojos.
—¿Te atreves a desafiar al Hijo del Cielo, miserable gusano?

»La tierra tembló. El pintor se inclinó
tres veces en señal de respeto y se atrevió
a indicar al Hijo del Cielo que pintarle
ojos al dragón sería darle vida.
Pero, aterrorizado por la mirada
de su señor, el pintor obedeció, y, pluf,
el dragón echó a volar ante las mismísimas
narices del emperador.

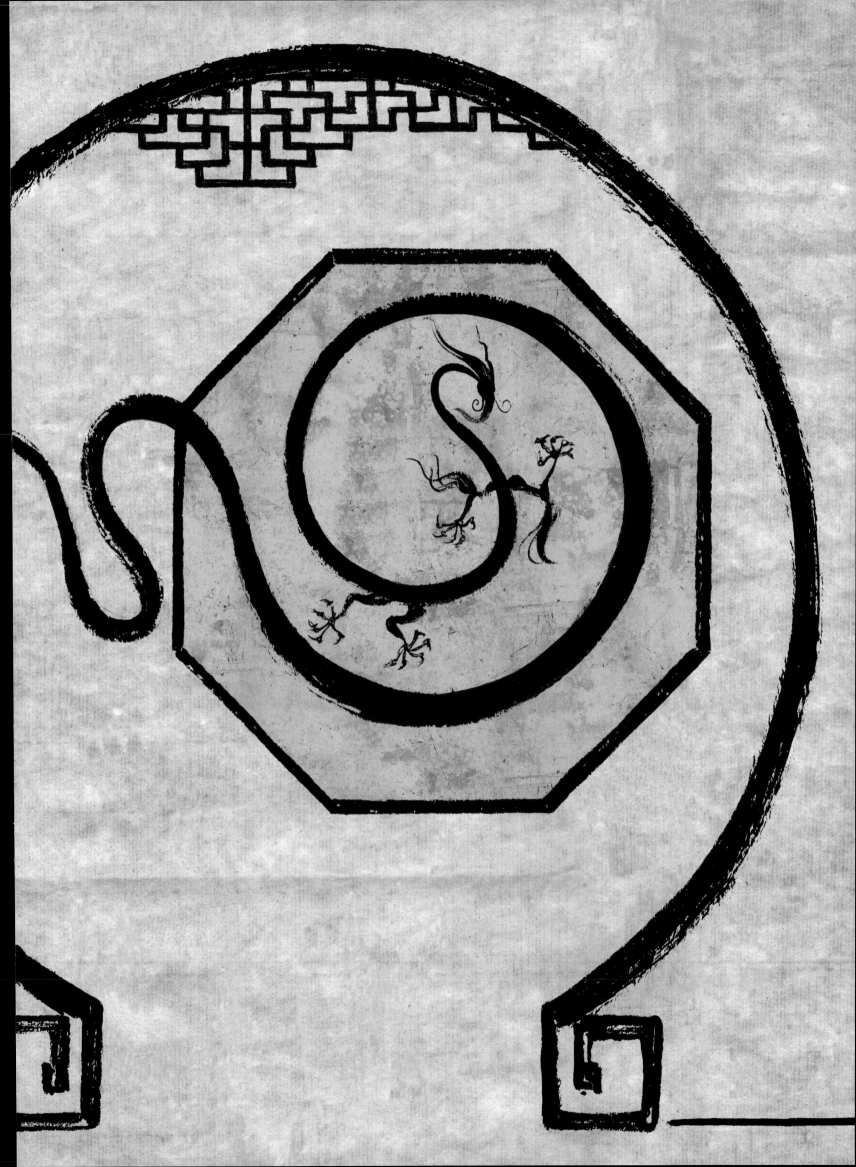

Xiao Li pregunta curioso:
–¿Cómo se reconoce a un dragón celestial?

–¿Te has dado cuenta de que tu dragón tenía cinco garras?
Esa es la marca del dragón imperial.

Sólo el emperador es digno de lucir su imagen
porque este dragón es portador del poder divino.
Es él único que concede las benéficas lluvias de primavera
que favorece la vida en la tierra a las personas
y las une con el cielo.

Para el resto de la familia imperial, un dragón
de cuatro garras es suficiente como emblema.

Y en cuanto a los dignatarios imperiales,
deben contentarse con dragones de tres garras
para adornar sus vestidos de gala y sus palacios.

Y, ¡ay de quien se atreva a lucir el emblema imperial!

–¿Te has fijado
si tu dragón tenía escamas de carpa?
Es un animal de agua; a veces, pez y, a veces, dragón.
Cuando bebe de un río, lo seca; pero cuando danza
con el viento, la lluvia cae sobre la tierra.
Es el símbolo de la fertilidad.

–¿Te has fijado
si tu dragón tenía uñas de pájaro?

Es un animal de aire, a veces, ave fénix y, a veces, dragón.
Cuando las gentes quieren ver a los dioses, las lleva
sobre su lomo al cielo. Cuando traslada las almas
de los difuntos, sus escamas se tornan del color del jade
para indicar su inmortalidad. Es el símbolo de la eternidad.

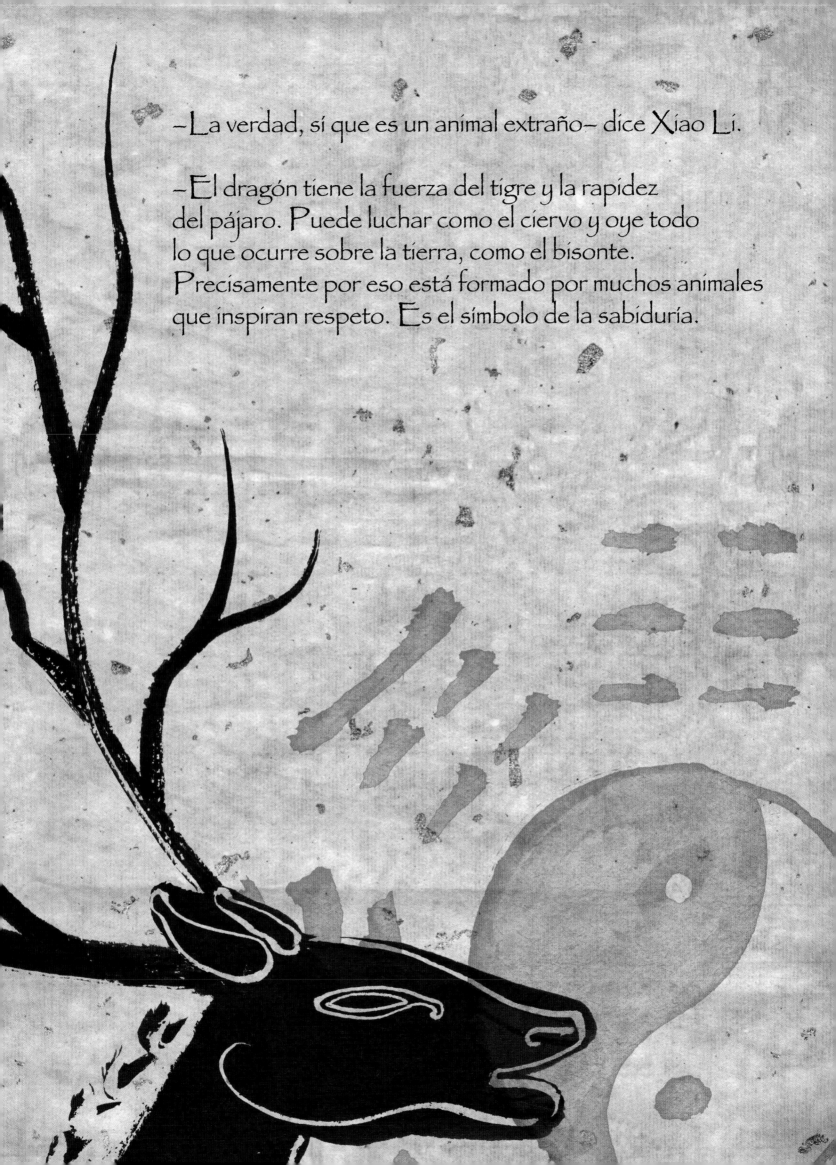

–La verdad, sí que es un animal extraño– dice Xiao Li.

–El dragón tiene la fuerza del tigre y la rapidez
del pájaro. Puede luchar como el ciervo y oye todo
lo que ocurre sobre la tierra, como el bisonte.
Precisamente por eso está formado por muchos animales
que inspiran respeto. Es el símbolo de la sabiduría.

—De ahí viene la costumbre de decir
de una persona sabia que es un dragón por fuera
y un ave fénix por dentro, siempre dispuesto
a renacer de sus cenizas.

–¡Es fantástico! –dice Xiao Li.

–Pues sí. Es verdad. El dragón
es un animal mágico que sólo se aparece
a los niños para traerles suerte.
Ver las pupilas de un dragón es señal
de un brillante porvenir.

–¿Y dónde está ahora? –pregunta Xiao Li.

–Nadie lo sabe. Desde las montañas del Sur hasta el río Wei,
sobrevuela las colinas y duerme en las cavernas.
Cabalga sobre las nubes y gobierna los vientos.
No se detiene jamás. Tan pronto llega a un sitio, desaparece.

–Nada puede detener su marcha desenfrenada:
es más rápido que la brisa, más ligero que una araña.
Cuando el dragón se convierta en un animal doméstico,
se podrá pescar peces con la mano.

–¿Cuándo volveré a verlo? –insiste Xiao Li.
–Verás, él es libre como el viento. Una vez cumplida su misión, desaparece.

—Xiao Li ya no está triste.
Sabe que su dragón, ahora,
protege a otro muchacho.
Y se duerme orgulloso
de haberlo tenido como amigo.

Disco *bi*, jade,
siglo II antes de nuestra era

El jade tiene un significado simbólico porque su nombre,
escrito en chino, está formado por tres rayas paralelas
desiguales, que representan el cielo, la Tierra
y los seres humanos, y por otra línea vertical
que significa la comunicación entre los tres universos.
El disco *bi*, al ser redondo, representa el cielo.
El vacío central sería la puerta de comunicación
con el más allá, con lo sobrenatural.

Pintura sobre seda
que representa bambúes,
Dinastía Yuan (1279-1368)

El bambú se dobla bajo el peso
de la nieve, pero no se rompe.
Tener *espíritu de bambú*, es
adaptarse a las situaciones sin rigidez.
El bambú crece recto,
aunque su tronco tenga nudos,
que representan las dificultades
de la vida.
Simboliza la longevidad.

Hueso oráculo
siglos XIV-XI antes de nuestra era

¿Cómo predecían el futuro? Se escribía *sucederá* o *no sucederá*
en el caparazón de una tortuga o en un hueso de cualquier animal
y se calentaba al fuego; el calor produce grietas. La respuesta
será la palabra hacia la que más fisuras converjan. Cosechas,
enfermedades, campañas militares... los dioses respondían a todo.

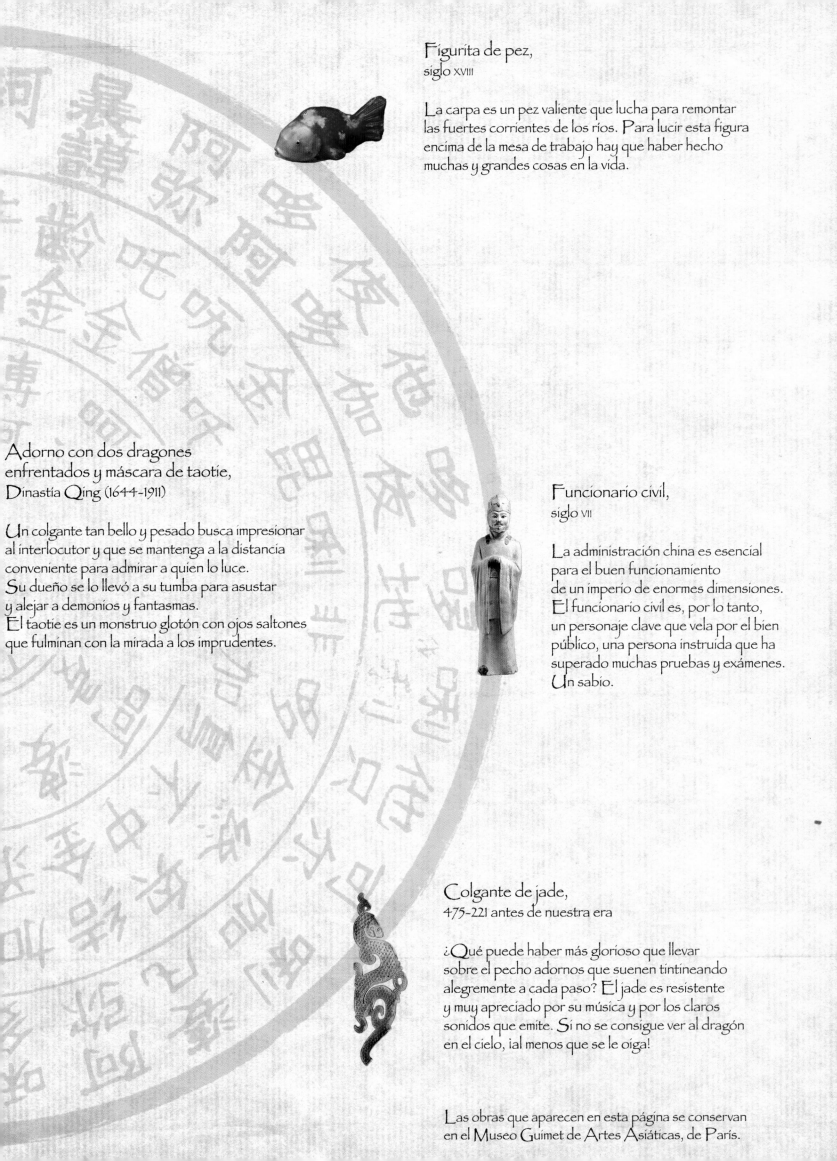

Figurita de pez,
siglo XVIII

La carpa es un pez valiente que lucha para remontar
las fuertes corrientes de los ríos. Para lucir esta figura
encima de la mesa de trabajo hay que haber hecho
muchas y grandes cosas en la vida.

Adorno con dos dragones
enfrentados y máscara de taotie,
Dinastía Qing (1644-1911)

Un colgante tan bello y pesado busca impresionar
al interlocutor y que se mantenga a la distancia
conveniente para admirar a quien lo luce.
Su dueño se lo llevó a su tumba para asustar
y alejar a demonios y fantasmas.
El taotie es un monstruo glotón con ojos saltones
que fulminan con la mirada a los imprudentes.

Funcionario civil,
siglo VII

La administración china es esencial
para el buen funcionamiento
de un imperio de enormes dimensiones.
El funcionario civil es, por lo tanto,
un personaje clave que vela por el bien
público, una persona instruida que ha
superado muchas pruebas y exámenes.
Un sabio.

Colgante de jade,
475-221 antes de nuestra era

¿Qué puede haber más glorioso que llevar
sobre el pecho adornos que suenen tintineando
alegremente a cada paso? El jade es resistente
y muy apreciado por su música y por los claros
sonidos que emite. Si no se consigue ver al dragón
en el cielo, ¡al menos que se le oiga!

Las obras que aparecen en esta página se conservan
en el Museo Guimet de Artes Asiáticas, de París.